Direction éditoriale : Christophe Savouré
Direction artistique : Danielle Capellazzi
Édition : Christine Hooghe
Conception graphique : Claude Poirier
Photographies : Olivier d'Huissier

Avec l'aimable participation de la Droguerie
9-11, rue du Jour 75001 Paris
renseignements et adresses : 01 45 08 93 27

© Groupe Fleurus-Mame, Paris, septembre 1998
Dépôt légal : septembre 1998
Impression et reliure Proost
ISBN : 2-215-02265-5
1re édition

loi n°49-956 du 16 juillet 1949 sur les publications
destinées à la jeunesse.

les activités fleurus

TRICOTIN MALIN

Danièle Ansermet

EDITIONS
FLEURUS

Éditions Fleurus, 11, rue Duguay-Trouin, 75006 Paris

Comment «tricotiner» ?

Il existe deux types de tricotin, l'un manuel et l'autre mécanique. La plupart des objets de ce livre sont réalisables avec les deux types de tricotin. Certains ne le sont qu'avec le tricotin manuel qui permet de travailler des fils plus épais ou moins souples.

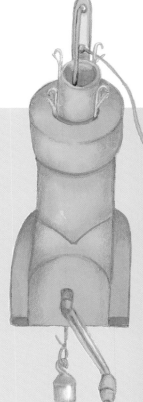

Le tricotin mécanique

Il permet de «tricotiner» plus vite et régulièrement. Il est vendu avec un poids qui tend la tresse vers le bas et évite ainsi les «bouchons» dans l'appareil. Il se compose d'un corps en plastique muni d'une manivelle, d'un guide-fil et de quatre aiguilles.

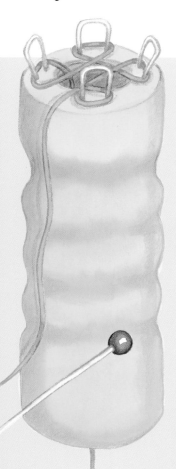

Le tricotin manuel

Il est constitué d'un tube de bois ou de plastique avec à l'extrémité quatre anneaux métalliques ou des clous. Il est généralement vendu avec une épingle à bout rond, sinon prévoir une aiguille à tricoter.

Pour «tricotiner»

1 Enfiler le fil dans l'œillet inférieur puis dans l'œillet supérieur du guide-fil, le laisser descendre dans le tricotin jusqu'à ce qu'il ressorte. Suspendre le poids au fil.

Pour «tricotiner»

1 Faire passer le fil à l'intérieur du tricotin, du haut vers le bas. Tourner le fil de gauche à droite autour du premier anneau. Enrouler le fil autour du deuxième anneau à gauche, jusqu'au quatrième.

2 Pour le deuxième rang, tenir le fil tendu devant le premier anneau en l'enroulant autour du doigt et passer la première maille par dessus à l'aide de l'épingle. Continuer ainsi, toujours vers la gauche, jusqu'à la longueur voulue.

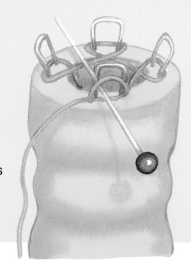

2 Ouvrir les clapets des aiguilles. Pour les deux premiers rangs, tourner doucement la manivelle dans le sens des aiguilles d'une montre et prendre le fil dans une aiguille sur deux en freinant le fil. Ensuite «tricotiner» en laissant le fil arriver librement. Au fur et à mesure accrocher le poids plus haut sur la tresse pour maintenir une bonne tension du fil.

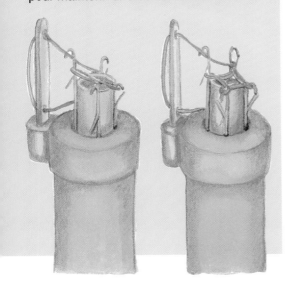

rentrer le fil dans la tresse.
Si la tresse est trop longue, la couper en laissant quelques rangs en plus et la détricoter jusqu'à la bonne longueur avant d'arrêter. Dans le doute, il vaut mieux faire une tresse un peu plus longue et présenter sur le support avant d'arrêter définitivement.

Une maille perdue ?

Pas de panique ! Retirer la tresse par le haut et défaire jusqu'au rang précédent celui de la maille perdue. Replacer les mailles sur les aiguilles à l'aide d'une aiguille à laine.

Arrêter une tresse

Enlever la tresse du tricotin lorsqu'elle a la longueur désirée. Attention la tresse du tricotin mécanique est allongée par le poids. Couper le fil à 10 cm environ, le passer dans chaque maille avec une aiguille à laine et serrer. Faire quelques points serrés et

Armer une tresse

Pour donner une forme particulière à une tresse, on peut introduire une chenille armée ou un cure-pipe, dès les premiers tours, à l'intérieur de la tresse. Maintenir la chenille droite tout en tricotant autour. On peut utiliser indifféremment un tricotin manuel ou mécanique pour cette opération.

Matériel et finitions

Les réalisations de ce livre nécessitent un peu de matériel facile à se procurer.
Les finitions sont le plus souvent rapides et simples.

Fils et laines

Choisissez des fils à tricoter : coton, laine, lin , rayonne, etc., qui se travaillent généralement avec des aiguilles 3 - 3,5. Si le fil choisi est plus gros, il faudra le travailler avec le tricotin manuel. Le fil plus fin comme le fil à coudre ou le fil à broder donnent aussi des résultats intéressants avec le tricotin mécanique. D'autres matières souples, comme le raphia ou le fil se tricotinent mais plus difficilement.
Une pelote de 50 g permet d'obtenir une tresse de 10 à 13 mètres selon la qualité du fil.

Collage

Sur différents supports
Les tresses peuvent être collées sur différents supports : carton de récupération, boîtes à fromage, rouleaux d'essuie-tout, bristol, formes en polystyrène. La colle forte ou des colles à tissu conviennent. Pour le polystyrène, une colle spéciale polystyrène sera nécessaire.
Les boules de polystyrène peuvent être remplacées par des boules de papier journal : froisser plusieurs morceaux de papier jusqu'à obtenir une boule de la taille désirée, lui donner sa rondeur avec du ruban adhésif de peintre.

Un peu de couture

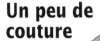

Coudre des tresses ensemble

Placer les tresses côte à côte et les coudre sur l'envers en sautant une maille sur deux.

Coudre des tresses en spirale

Enrouler la tresse sur elle-même et coudre au fur et à mesure.

Fixer deux éléments entre eux

Maintenir les éléments en place avec des épingles et les coudre par quelques points.

Coller sur une boule ou du carton

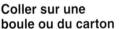

Coller la tresse, au fur et à mesure, en la maintenant en place avec des épingles. Continuer en enroulant la tresse et en veillant à bien cacher la surface. Poser les boules sur un récipient pour les empêcher de rouler. Ôter les épingles lorsque la colle est sèche.

Cartes colorées

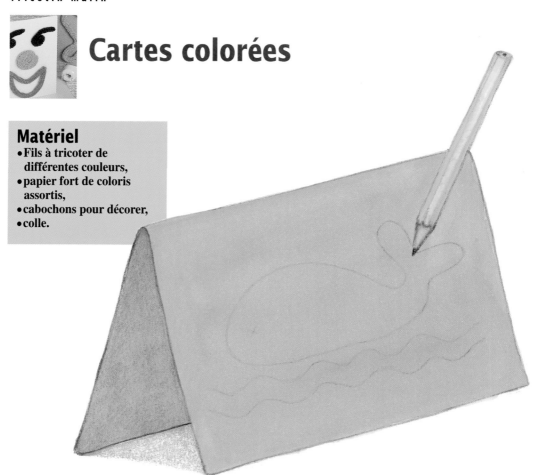

1 Pour chaque carte, découper un rectangle de papier fort de 21 x 15 cm. Plier en deux.

2 Dessiner un motif simple sur la carte. Mesurer les tracés avec une ficelle pour définir la longueur des tresses à préparer.

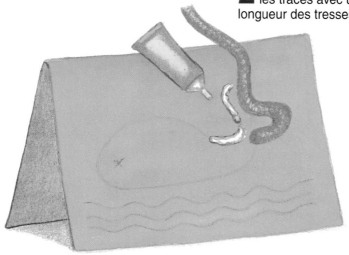

3 Coller les tresses selon le tracé. Pour la baleine commencer par la queue. Pour le soleil, commencer par coller une tresse en spirale au centre de la carte avant de coller les rayons tout autour.

4 On peut coller des cabochons pour faire les yeux ou décorer les motifs.

Bijoux multicolores

Matériel

- Fils à tricoter : coton, chenille, lurex,
- fils à coudre assortis et aiguille,
- perles, cabochon en forme d'étoile et pompon,
- attaches : de boucles d'oreilles, de broche, de barrette,
- fil élastique rond et aiguille à laine,
- 1 lacet rose de 55 cm pour le bandeau,
- bristol,
- colle.

La barrette

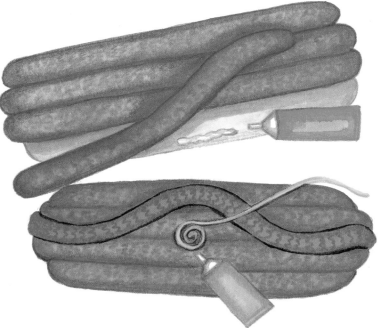

Découper un rectangle de bristol plus grand que la barrette. Arrondir les angles. Tricoter avec le tricotin manuel et coller sur le bristol 4 tresses de chenille bleue légèrement plus longues. Décorer avec deux tresses d'une autre couleur et des spirales de fil collées. Coller la barrette au dos.

La broche

Tricoter deux tresses de 18 cm de couleurs différentes. Coudre la première tresse en formant trois boucles. Entrelacer la deuxième et maintenir par quelques points. Coller l'étoile et coudre l'attache de broche sur l'envers.

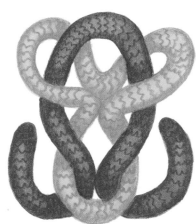

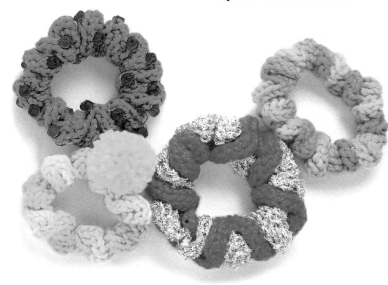

Les boucles d'oreilles

Coller des petites tresses sur un morceau de bristol. Passer un fil, coller les attaches sur l'envers.

Les chouchous

Tricoter une tresse de 60 cm environ, passer un élastique de 15 cm à l'intérieur et le nouer. Cacher le nœud à l'intérieur et coudre les deux extrémités de la tresse. Coudre des perles ou un pompon. Pour un chouchou bicolore, torsader deux tresses et maintenir par quelques points avant de passer l'élastique.

Le bandeau

Préparer une tresse de 35 cm. Coudre le lacet à une des extrémités en le laissant dépasser de 10 cm. Enrouler en une torsade régulière. Coudre le lacet à l'autre extrémité en laissant dépasser 10 cm. Nouer.

Parure de fête

Matériel

- Fil lurex de différentes couleurs,
- long collier : 8 perles à gros trou,
- ras de cou : élastique doré, grosse perle dorée et des petites perles dorées et argentées,
- broche : 1 cabochon bleu, bristol, attache de broche,
- fil à coudre invisible,
- colle.

extrémité. Coudre les petites perles au fil invisible. Pour le fermoir, enfiler la perle dorée sur le fil et nouer plusieurs fois, jusqu'à ce que le nœud bloque la perle. De l'autre côté, former une boucle en nouant le fil à la hauteur voulue. Recouper le fil superflu de chaque côté.

un fil de rayonne. Coudre les tresses par une extrémité et les enrouler en une torsade régulière. Réunir les deux extrémités du bracelet et finir d'enrouler la tresse la plus longue. Maintenir par quelques points.

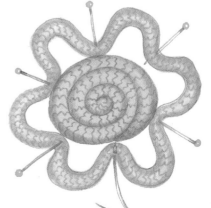

Le tour de cou doré

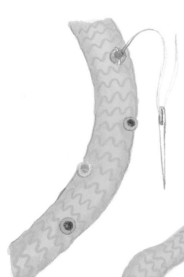

Préparer une tresse de 45 cm d'élastique doré avec le tricotin manuel. Recouper le fil à 10 cm à chaque

Le long collier

Préparer une tresse de lurex de 60 cm. Arrêter sans couper le fil. Enfiler les perles le long de la tresse en les espaçant de 4 cm environ. Fermer la tresse par quelques points et glisser la dernière perle dessus pour les masquer.

Le bracelet torsadé

Préparer une tresse de 30 cm et une de 28 cm. Pour une tresse chinée, tricoter ensemble le lurex et

La broche fleur

Enrouler une tresse bleue de 25 cm en spirale et la coller sur un rond de bristol légèrement plus petit. Préparer une tresse argentée de 30 cm. Fermer en anneau par quelques points. Répartir les pétales autour du cœur en les maintenant avec des épingles, puis les coudre. Coller le cabochon, puis l'attache au dos.

Panoplie fruitée

Matériel

- Fils à tricoter de différentes couleurs,
- 1 écharpe,
- 1 paire de gants à poignets longs,
- fil à coudre invisible,
- 1 aiguille à laine,
- pin's : bristol, colle, attaches de pin's.

L'écharpe

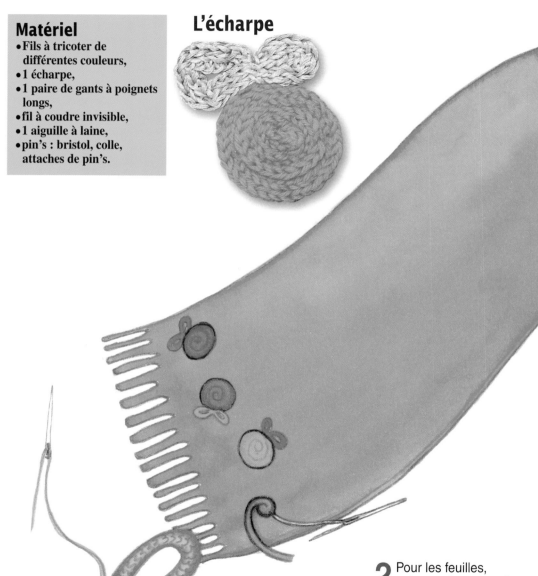

1 Pour les fruits, préparer 8 tresses de 30 cm et les coudre en spirale, avec du fil invisible, à chaque bout de l'écharpe.

2 Pour les feuilles, préparer 8 tresses de 12 cm. Replier les extrémités des tresses vers le milieu et maintenir par quelques points.
Coudre sur l'écharpe au-dessus des fruits.

Panoplie fruitée

Les pin's

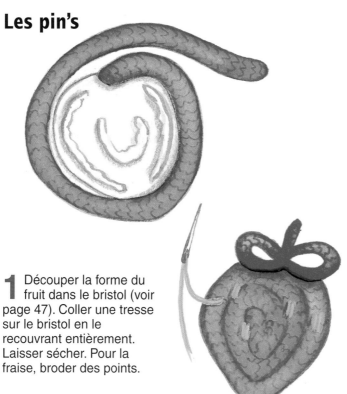

Les gants

1 Pour les queues des cerises, faire un cordon en pliant en deux et en torsadant un fil de 40 cm. Replier cette torsade en son milieu tout en la maintenant bien tendue. Le cordon s'enroule de lui-même. Nouer au bout.

1 Découper la forme du fruit dans le bristol (voir page 47). Coller une tresse sur le bristol en le recouvrant entièrement. Laisser sécher. Pour la fraise, broder des points.

2 Former les feuilles comme pour l'écharpe ou laisser dépasser une petite queue. Coudre ou coller les feuilles au fruit.

3 Coller l'attache de pin's au dos.

2 Coudre le cordon en son milieu sous le poignet du gant. Pour un groupe de trois cerises, coudre un autre cordon plus long au milieu.

3 Préparer des tresses de 10 cm pour les cerises et les coudre en spirale sur le gant en cachant les extrémités des cordons dessous.

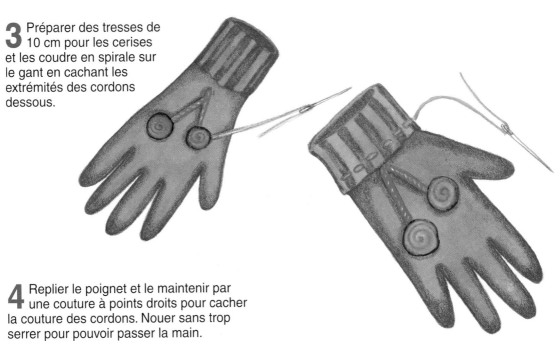

4 Replier le poignet et le maintenir par une couture à points droits pour cacher la couture des cordons. Nouer sans trop serrer pour pouvoir passer la main.

Ronds de serviettes

Couronne jaune et noire

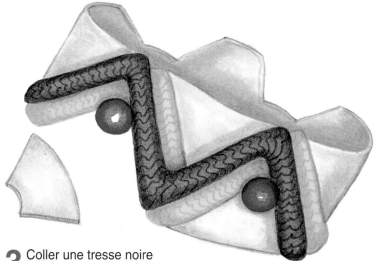

Matériel
- Fils à tricoter de différentes couleurs,
- un rouleau en carton d'essuie-tout,
- colle,
- cabochons,
- un mètre de couturière

1 Découper un anneau de carton de 3 cm. Mesurer et tracer un point tous les 2 cm en bas et en haut.

2 Coller une tresse jaune d'environ 30 cm en formant des pointes selon les repères. Remplir le dernier triangle avec le bout de tresse restant.

Rond à spirales
Coller 4 tresses de 30 cm en spirales sur un anneau de carton de 4 cm.

Rond bleu et jaune
Prévoir des tresses de 15 cm et les coller en «S».

Rond à franges
Enrouler une tresse de 40 cm autour du rouleau et nouer des fils colorés.

3 Coller une tresse noire en la superposant au sommet et au bas des pointes. Coller un cabochon au centre d'un triangle sur deux en partant du triangle jaune central.

4 Découper le carton superflu autour du motif. Pour une meilleure finition, peindre l'intérieur de l'anneau.

Cache-œufs rigolos

Matériel
- Fils à tricoter de différentes couleurs,
- boutons ou yeux mobiles,
- fil à coudre invisible et aiguille,
- colle,
- un œuf dur et un coquetier.

1 Coudre ou coller une tresse d'environ 1,80 m en spirale bien serrée en partant du sommet de l'œuf.

2 Décorer les têtes avec des tresses plus petites.

La poule

Pour la crête, coudre une tresse de 18 cm en accordéon. Former le bec avec une tresse de 13 cm et le coudre à 2 cm du bas. Coudre une tresse de 8 cm dessous pour les barbillons.

Le canard
Former le bec avec deux tresses de 20 cm. Enrouler une tresse de 20 cm sur la tête.

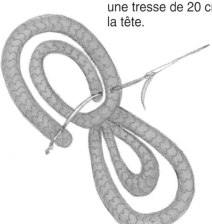

Le poussin
Pour les cheveux, coudre des boucles de laine sur la tête, puis les recouper.

Finitions
Coller des yeux mobiles ou coudre des boutons.

Astuce
En utilisant un œuf dur comme support, les cache-œufs sont plus faciles à mettre en forme.

Boîtes acidulées

Matériel
- Boîtes en carton,
- fils à tricoter de différentes couleurs,
- cabochons de différentes formes,
- colle,
- peinture gouache ou acrylique,
- un carton de 5 x 5 cm pour le gland.

La boîte ronde

En partant du centre, recouvrir complètement le couvercle de tresses enroulées et collées au fur et à mesure. Coudre 5 fils au centre, les tendre et les coller à l'intérieur. Faire le gland et le coudre au centre du couvercle.

La boîte soleil

Commencer par coller les 4 tresses ondulées. Coller d'autres tresses dans les espaces vides et sur les bords. Coller une tresse jaune en spirale. Nouer des fils de 5 cm pour les rayons.

Conseil
La longueur des tresses à prévoir dépend de la dimension de boîtes. Vérifier leur longueur avant de les stopper définitivement.

Finitions
Décorer avec des cabochons collés. Peindre le bas des boîtes.

Décors de Noël

Matériel
- Laine et lurex à tricoter, fil de lin à boutons,
- fil à coudre invisible,
- boules de polystyrène de 5 et 8 cm de diamètre et 1 boule de cotillon,
- bristol,
- perles,
- colle forte et colle à polystyrène.

Le bonhomme de neige

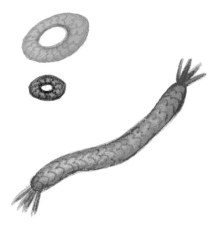

Coller une boule de cotillon sur une boule de 5 cm. Recouvrir entièrement de 2,10 m environ de tresse blanche. Coller deux petites tresses pour le chapeau. Ajouter des franges au bout d'une tresse de 10 cm et la nouer autour du cou. Coudre les yeux, la bouche et les boutons.

Boule métallisée
Recouvrir une grosse boule de deux tresses de 1,80 m de couleurs différentes.

L'arbre de Noël

Découper un demi-cercle de bristol de 8 cm de diamètre et former un cône. Enrouler d'une tresse verte de 30 cm en laissant des espaces. Coller une tresse argentée de 20 cm. Coudre quelques perles et nouer un fil pour l'attache.

Les boules
Boule rouge
Coller en l'enroulant une tresse de 1,60 m environ sur une boule de 5 cm. Séparer les quartiers par une tresse de fil à boutons de 1,20 m. Maintenir avec des épingles avant de coudre. Faire l'attache avec la tresse restant.

Astuce
Les boules de polystyrène peuvent être remplacées par des boules de papier, voir page 8.

En piste !

Matériel

- Fils à tricoter jaune, rouge, vert et marron,
- 1 cabochon rond, 2 en forme de lune,
- boules de polystyrène : 2 boules de 5 cm de diamètre, 1 boule de 8 cm de diamètre,
- 2 boules de cotillon,
- chenille armée,
- colle à polystyrène.

1 Recouvrir une boule de 5 cm de 1,80 m de tresse jaune pour la tête et la grosse boule d'une tresse verte et d'une tresse rouge de 1,80 m chacune. Couper une boule de 5 cm en deux moitiés et les recouvrir de tresse en alternant les couleurs.

3 Armer deux tresses de 9 cm pour les bras (voir page 7). Coller une boule de cotillon au bout. Recouvrir les mains de 50 cm de tresse. Coller une petite tresse en guise de poignet. Coudre les bras au corps.

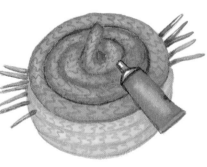

Attention
Le cutter est à utiliser par un adulte.

2 Former le nœud-papillon avec une tresse de 30 cm. Le coller sur le corps, puis superposer la tête. Coller les pieds.

Astuce
Les boules de polystyrène peuvent être remplacées par des boules de papier, voir page 8.

4 Pour le chapeau, coller une tresse verte en cercle sur la tête. Remplir avec une autre tresse en spirale en la laissant dépasser pour la pointe du chapeau. Faire les cheveux comme pour le poussin page 22. Coller les yeux et le nez.

En piste !

Matériel

- 1 rouleau d'essuie-tout,
- 2 boules de polystyrène de 5 cm de diamètre et 2 boules de cotillon,
- fils à tricoter de différentes couleurs,
- 2 yeux mobiles et 1 bouton,
- adhésif de peintre,
- papier journal,
- chenille armée,
- colle forte et colle à polystyrène.

1 Recouvrir une boule de 5 cm d'une tresse de 1,80 m pour la tête. Pour le corps, faire deux encoches de 4 cm l'une en face de l'autre sur le rouleau. Rapprocher les bords et maintenir avec l'adhésif. Découper une demi-lune à l'autre bout du rouleau.

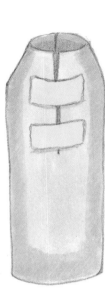

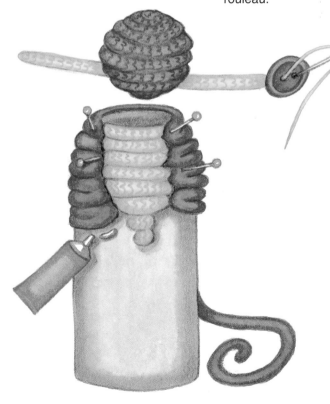

2 Coller une tresse de 50 cm en formant un triangle pour le jabot. Recouvrir complètement avec une tresse de 3,60 m environ en collant au fur et à mesure et en maintenant avec des épingles. Coller la tête au corps. Entourer l'encolure d'une petite tresse et unir les extrémités avec un bouton. Broder les cheveux comme pour le poussin page 22 et ajouter les yeux mobiles.

3 Faire les bras comme pour le clown page 28 et coller la main gauche sur le corps.

4 Couper une boule de 5 cm en deux moitiés avec un cutter et les recouvrir en alternant les couleurs. Coudre les pieds au corps, voir page 9.

Attention
Le cutter est à utiliser par un adulte.

5 Modeler le saxophone avec du papier froissé. Consolider avec l'adhésif, puis recouvrir d'une tresse de lurex doré et d'une petite tresse rouge au bout. Coller le saxophone en place sur le musicien.

Astuce
Les boules de polystyrène peuvent être remplacées par des boules de papier, voir page 8.

Madame l'autruche

Matériel

- Fils à tricoter orange et jaune,
- aiguille à laine,
- 2 boules de polystyrène de 5 et 8 cm de diamètre,
- plumes,
- 2 yeux mobiles,
- 4 chenilles armées de 30 cm,
- colle à polystyrène.

1 Recouvrir les boules avec des tresses orange de 1,80 m et 3,60 m. Armer deux tresses orange pour le cou et deux jaunes pour les pattes, voir page 7.

3 Vriller les tresses des pattes ensemble en écartant les extrémités. Plier en «U». Entourer d'une petite tresse orange et coudre le tout au corps.

4 Former le bec comme pour les cache-œufs page 22, et le coller sur la tête. Encoller et piquer les plumes dans les mailles des tresses. Coller les yeux.

2 Vriller les tresses du cou ensemble, plier en deux et vriller à nouveau. Coudre la torsade sur la tête, lui donner la forme d'un «S» et la coudre au corps.

Astuce
Les boules de polystyrène peuvent être remplacées par des boules de papier, voir page 8.

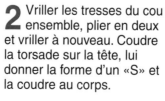

À la mer

Matériel

- Fils à tricoter turquoise, bleu clair et fuchsia,
- 1 boule de polystyrène de 8 cm de diamètre,
- 2 chenilles armées de 30 cm,
- 2 boutons,
- colle à polystyrène.

La pieuvre

1 Recouvrir la boule d'une tresse turquoise de 3,60 m. Préparer deux tresses armées bleu clair (voir page 7) et deux tresses turquoise de 35 cm.

2 Coller les tentacules sous la boule en les croisant.

Astuce
Les boules de polystyrène peuvent être remplacées par des boules de papier, voir page 8.

3 Coudre une petite tresse pour la bouche et les boutons pour les yeux.

Matériel

- Laine rouge et fil chenille bleu,
- 1 boule de polystyrène de 8 cm de diamètre,
- colle à polystyrène,
- 2 yeux mobiles.

Conseil

Utiliser un tricotin manuel pour la chenille.

Le poisson

1 Préparer une tresse de 1,50 m dans chacune des couleurs. Coudre les tresses ensemble, voir page 9.

2 Coller la bande sur la boule en laissant un espace pour la bouche. Former deux boucles avec le bout de bande qui dépasse et coller en maintenant avec des épingles.

3 Plier deux tresses de 30 cm en accordéon pour la queue et les nageoires et coller tout en maintenant par des épingles. Coller les yeux.

Au clair de la lune

Matériel
- Fils à tricoter noir et jaune clair,
- aiguille à laine,
- 1 boule de polystyrène de 5 cm de diamètre,
- 1 rouleau en carton de papier toilette,
- adhésif de peintre,
- 2 rectangles de carton de 3 x 4 cm,
- 1 chenille armée de 30 cm,
- 2 lunes et des petites perles,
- 1 ruban de satin rouge,
- colle forte et colle à polystyrène,
- fil à coudre invisible.

1 Faire deux encoches de 5 cm l'une en face de l'autre sur le rouleau. Rapprocher les bords et maintenir avec l'adhésif, voir page 30. Coller la boule au dessus et tout recouvrir d'une tresse noire de 2,50 m environ.

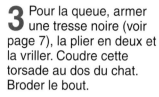

3 Pour la queue, armer une tresse noire (voir page 7), la plier en deux et la vriller. Coudre cette torsade au dos du chat. Broder le bout.

4 Fixer avec des épingles une tresse jaune de 15 cm pour les oreilles. Assembler avec un fil invisible. Faire quelques points en haut des oreilles pour qu'elles restent bien pointues.

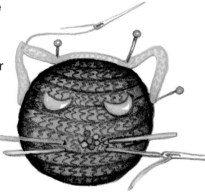

5 Coller les yeux. Passer trois fils avec une aiguille à laine pour les moustaches. Coudre les perles du museau et nouer le ruban.

2 Recouvrir les rectangles de carton de tresses jaunes et noires. Coudre les pattes ensemble, en les écartant, avant de les coller sous le corps.

Astuce
La boules de polystyrène peut être remplacée par une boule de papier, voir page 8.

Mobile étoilé

Matériel
- Laine et lurex,
- 5 chenilles armées de 30 cm,
- 1 petit pompon,
- bristol,
- colle forte et colle à polystyrène,
- 1 boule de polystyrène de 8 cm de diamètre,
- tiges florales et pince coupante,
- fil Nylon.

Les étoiles pleines
Découper 5 étoiles dans le bristol, voir patron page 46. Les recouvrir d'une tresse de 95 cm environ de chaque côté.

La lune
Coller une tresse de 3,60 m environ sur la boule. Faire le chapeau comme celui du clown page 28 et coudre un pompon sur le côté. Broder les paupières et coudre une petite tresse pour la bouche.

Montage du mobile
Voir le croquis page 46. Recouper les tiges. Attacher un fil de Nylon en haut des étoiles et de la lune. Monter les petits segments et les relier entre eux avant de les accrocher sur la grande tige. Équilibrer le mobile en faisant glisser les fils. Consolider les nœuds avec de la colle. Faire une boucle pour suspendre.

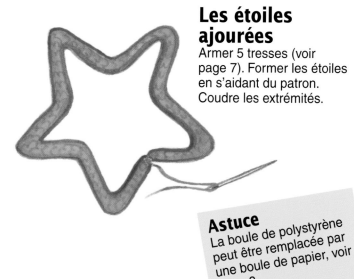

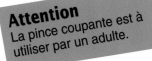
Attention
La pince coupante est à utiliser par un adulte.

Les étoiles ajourées
Armer 5 tresses (voir page 7). Former les étoiles en s'aidant du patron. Coudre les extrémités.

Astuce
La boule de polystyrène peut être remplacée par une boule de papier, voir page 8.

Sac et étui de star

Matériel
- Fils à tricoter bleu et blanc,
- 2 pompons scintillants,
- fil à coudre invisible,
- aiguille à laine.

Sac

4 Superposer les deux parties du sac en veillant à bien placer les anses. Épingler et coudre tout autour avec du fil bleu.

1 Faire deux tresses bleues de 2 m. Coudre chaque tresse en spirale avec la même laine en laissant 30 cm pour l'anse.

2 Coudre l'extrémité de la tresse à la spirale, consolider par quelques points de couture à la même hauteur, de l'autre côté.

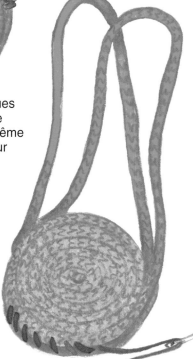

3 Sur chaque spirale, épingler une tresse blanche de 90 cm en formant une fleur. Coudre la fleur avec le fil invisible. Coudre un pompon au centre de la fleur.

Sac et étui de star

Matériel
- Fils à tricoter
  de différentes couleurs,
- bristol blanc
- colle.

Étui à lunettes

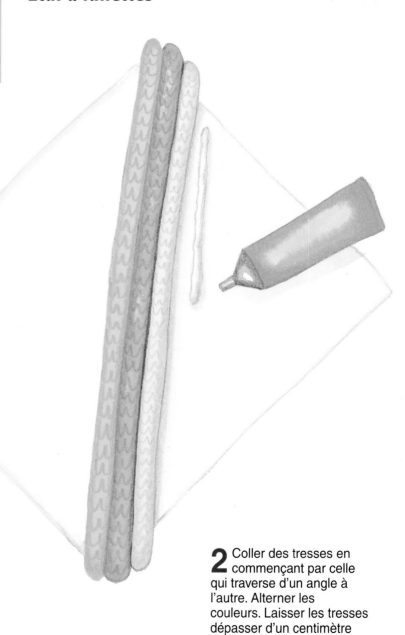

1 Mesurer et découper
1 carré de bristol blanc
de 16 x 16 cm.

2 Coller des tresses en
commençant par celle
qui traverse d'un angle à
l'autre. Alterner les
couleurs. Laisser les tresses
dépasser d'un centimètre
de chaque côté du bristol.

3 Lorsque le bristol est entièrement recouvert, coller le bout des tresses sur l'envers.

4 Plier le bristol en deux. Coller sur deux côtés.

Table des matières

Aux Éditions Fleurus

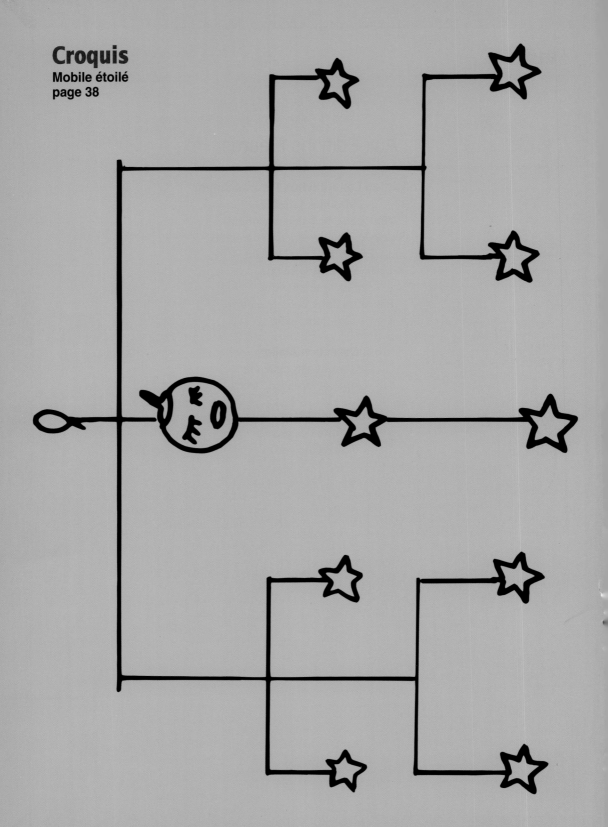